KB076599

너는 나에게 하나의 세상이다.

최정우 지음

최정우(심리상담가, 작가, 강연가)
sogangbest@naver.com
https://brunch.co.kr/@sogangbest

발 행 | 2024-07-05
저 자 | 최정우
펴낸이 | 한건희
펴낸곳 | 주식회사 부크크
출판사등록 | 2014.07.15(제2014-16호)
주 소 | 서울 금천구 가산디지털1로 119, A동 305호
전 화 | 1670 - 8316
이메일 | info@bookk.co.kr

ISBN | 979-11-410-9327-3
본 책은 브런치 POD 출판물입니다.

www.bookk.co.kr

"한 사람이 죽는다는 건, 하나의 세상이 죽는다는 것이다."

- 메리 르놀트 (Mary Renault) -

<너는 나에게 하나의 세상이다> 을 읽어봐 주시는 독자님들께,

다른 많은 좋은 책이 있음에도 불구하고 제 책을 선택해 주셔서
감사드립니다.

한 사람이 다가오는 것은 그 사람의 인생(人生)이 다가오는 것과 같
다고 합니다.

누군가가 여러분에게 다가올 때 그 사람의 인생을 대하는 마음으로
그를 대하면 좋겠습니다.

그럼 그 사람은 진심으로 기뻐할 것입니다.

여러분에게 한 인생처럼 다가오는 사람은 누구인가요?
여러분이 한 인생처럼 다가가고 싶은 사람은 누구인가요?

목   차

01. 선물

선물은 이왕이면 받는 사람에게 필요한 것을 주자. 내가 주고 싶은 것을 주는 것은 나를 위한 것이지 주인공을 위한 것이 아니다.

받는 사람의 처지에서도 마찬가지다. 별로 필요 없는 것인데 받아서 별로다. 별로인 티도 못 낸다. 선물이지만 쓸데도 없어 쓰레기가 될 때도 많다. 받았으니 언젠가 돌려줘야 한다는 부담감도 생긴다.

그러니 선물은 웬만하면 상대에게 필요한 것을 물어보고 주자.

02. 다이어트를 할 때는

다이어트를 할 땐, '어떻게 하면 맛있는 음식을 더 많이 먹을 수 있을까?' 고민하지 말자.

대신 '어떻게 하면 맛있는 음식을 더 잘 음미할 수 있을까?'를 고민하자.

음식도 결국은 양보다 질이다.

03. 재채기

매 순간 찾아오는 고비는 "재채기"와 같다. 코가 간지러워 재채기를 한번 시작하면 멈추기 힘들다. 거의 일정한 간격으로 한참을 계속하게 된다.

"에이치..."

쉽게 멈출 수가 없다.

그런데 한 번이다. 한 번의 재채기를 잘 넘기면 재채기는 멈춘다.

매 순간 찾아오는 고비가 있는가? 어김없이 포기하고 주저앉는가? 힘을 내보자. 한 번의 고비만 넘겨보자. 한 번의 고비를 넘기면 당신은 그 고비가 더 이상 찾아오지 않을 수 있다.

04. 하나의 세상

너를 알았을 때, 한 세상을 알았다.

너와 함께 할 때, 한 세상을 함께 했다.

너와 헤어질 때, 한 세상과 헤어졌다.

너는 나에게 하나의 세상이다.

너는 나에게 하나의 세상이었다.

05. 연간 회원권의 함정

연간 회원권의 함정이 있다. 처음에는 즐거움을 만끽하러 간다. 나중에는 돈이 아까워서 의무감으로 간다. 주객(主客)이 바뀌는 대표적 사례다.

이는 마치 면세품을 구매하기 위해 여행을 하는 것과 같다.

혹시 주객을 전도하여 사는 삶은 없나요?
다시 주를 주로, 객을 객으로 돌려놓는 것은 어떨까요?

06. 운전대

가끔은 운전대를 다른 이에게 맡겨보자. 옆자리나 뒷자리에 앉아보자. 못 보았던 자연, 소리, 풍경, 사람들에 대해 "익숙한 낯섦"을 느낄 것이다.

운전대를 놓지 않으면 계속 놓치게 되는 내 주변의 것들이다.
가끔은 운전대를, 주도권을 남들에게 맡겨보자.

많은 것들을 볼 수 있을 것이다.

07. 딸기우유를 음미하는 방법

딸기우유, 와인, 아이스 캐러멜 마키야토의 맛을 제대로 음미해보고 싶은가? 그럼 잠시 멈춰라.

삼키기 전 입에 잠시 머금어라. 코로 깊은숨을 내쉬어라. 그 맛과 향기가 입안과 코끝에서 진동할 것이다. 바로 삼키었으면 못 느낄 향이다.

삶도 마찬가지다.

삶의 순간을 제대로 음미하고 싶은가? 그럼 잠시 멈춰라. 멈추고 주위를 긴 호흡으로 바라보라.

삶의 향기와 의미들이 당신의 눈과 코를 타고 흘러와 당신의 깊은 그곳에서 녹아 흐를 것이다. 쉬지 않았으면 멈추지 않았으면 놓쳤을 소중한 순간들이다.

소중한 삶이다. 소중한 우주다.

08. 까먹지 않는 방법

해야 할 일이 있는데 자꾸 까먹는 습관이 있는가?

그럴 때 좋은 방법이 있다. 그냥 지금 바로 하는 것이다.

지금 바로 해버리면 까먹으려야 까먹을 수가 없다.

바로 하기에 실행력은 덤으로 따라서 온다.

09. 고층건물의 빛이 깜박거리는 이유

고층건물의 꼭대기에는 밤에도 반짝거리는 점멸램프가 있다. 혹시라도 있을지 모르는 비행기와 충돌을 방지하기 위함이다.

그런데 이 램프는 왜 계속 깜박거리는 것일까? 그냥 불이 계속 들어와 있으면 안 되는 것일까?

그 이유는 간단하다.

만약 불이 계속 켜져 있으면 그 불빛의 존재를 잘 알아보기 어려울 수 있기 때문이다. 주기적으로 불이 들어왔다 나갔다 하는 것이 더욱 눈에 잘 띄기 때문이란다.

우리 삶도 마찬가지인 것 같다. 같은 자리에 머물며 지속해서 무엇인가를 보여줄 때와 잘할 때와 못할 때를 번갈아 보여줄 때, 이 둘 중 언제가 더욱 당신의 존재감을 빛나게 하는가?

"나 항상 여기 있어요" 하는 것보다 "나 오늘은 여기에 있어요" 하는 사람에게 더 눈길이 가지 않겠는가? 그러니 항상 내가 그곳에 있어야 한다는 생각은 버리자.

주위 사람들에게는 잘할 때도 있고 못 할 때도 있는 당신이 더 인간적으로 느껴질 수 있다. 빛날 때도 빛나지 않을 때도 있는 당신을 사람들은 더 잘 "식별(識別)"할 수 있지 않겠는가?

10. 우주와 이어진 느낌이 드는 순간

책 읽기를 시작한 이후, 책 쓰기를 시작한 이후 이 세상 모든 것이 책 일부분이다.

모든 것이 책의 소재가 될 수 있다.

나의 직장 생활, 내 생각, 저 멀리 보이는 신호등, 저 멀리 보이는 빌딩 꼭대기 점멸등, 동료가 무심히 내뱉은 한마디, 입안에 남아있는 뉴욕 치즈케이크 한 조각의 조각. 내 삶의 기쁨과 슬픔, 괴로움이 일상의 소재와 접합하여 새로운 생각, 느낌을 만들어 낸다.

책의 힘은 실로 위대한 것.

글쓰기는 인간이 발명해 낸 최고의 걸작이라는 생각이 든다. 나와 우주를 이어주는 놀이라는 느낌이다.

나는 오늘도 출근 전 우주와 진리를 경험한다.

글쓰기는 나에게 그런 것이다.
더 많은 사람이 이러한 경험 했으면 한다.
글쓰기로 자신과 우주가 이어져 있다는 느낌을 꼭 느껴보았으면 한다.

11. 시간이 없어서 못 한다는 말

"시간이 없어서 못 한다"라는 말. 정말 시간이 없어서일까?

시간이 없어서라는 말은 "아직 그만큼의 절실함이 없다."는 것처럼 들린다.
솔직해져보자. 당신이 너무나 간절히 원하면 없던 시간도 만들어 내지 않겠는가?

너무나 보고 싶은 사람이 있다. 너무나 사랑하는 사람이 있다. 하지만 바쁘다는 핑계로 안 만나고 지낼 수 있는가? "시간이 없어서 못 보겠다"라고 말할 수 있는가? 너무나 보고 싶은데? 너무나 사랑하는데?

"시간이 없어서 못한다"는 말은 더 하지 말자. 남에게도 자신에게도.

하고 싶은데 시간이 없어 못 하는 일이 있다면 바로 시작하라.

그럼 없는 시간이 만들어진다.

12. 결심의 조건

언젠가 할 것이다."라는 말에서는 의지와 열정이 느껴지지 않는다.

"해도 그만 안 해도 그만"이라는 느낌이 든다.

목표를 정할 때는 정확한 시점까지 곁들이자.
"이번 주말까지, 이번 달 말까지. 크리스마스 전까지. 일 년 내로"

시점이 없는 결의는 목적지 없는 드라이브와 같다. 가도 그만 안 가
도 그만이다.

결심할 땐 시점을.

기한은 결심의 화룡점정(畵龍點睛).
기한은 결심의 마무리.
기한이 있어야 실현할 가능성이 커진다.

13. 시작

"시작"하는 것보다 "다시 시작하는 것"이 더 중요하다.

14. 인생을 중간 저장하는 습관

내 인생의 ´Ctrl+S´를 자주 누르자. 문서 작업을 할 때, 중간중간에 Ctrl + S를 습관적으로 누르곤 한다. 문서가 중간에 통째로 날아가는 경우가 종종 있기 때문이다.

인생도 마찬가지다. 당신의 인생이 어느 날 한순간 사라져 버릴 수도 있다. 불의의 사고로 또는 병으로. 물론 절대 일어나서는 안 되는 일이다. 하지만 그럴 수 있다.

당신의 인생을 중간중간 어떻게 남길 것인가? 당신이 미술가라면 그림을, 작곡가라면 멜로디를, 가수라면 노래를, 학자라면 학설을 남길 수 있다. 그런데 당신이 평범한 직장인이라면? 무엇을 남길 것인가? 어떻게 남길 것인가?

글쓰기를 추천한다. 거창하게 생각할 필요 없다. 어렵게 생각할 필요도 없다. 평소 자기 생각과 철학을 정리하면 된다. 그 생각과 철학은 틀림없이 누군가에게는 도움이 된다.

그런 것들을 평소 글로 남겨두는 것이다. 메모하여 남겨두는 것이다. 그렇게 당신은 당신의 순간을 저장할 수 있다.

당신이 찍은 사진은 당신의 외면을 남기지만 당신이 쓴 글은 당신의 내면을 남긴다. 당신의 글을 읽고 도움을 받을 누군가는 반드시 존재한다.

그러니 삶을 저장하는 습관을 길렀으면 좋겠다.
당신은 소중한 사람이니까. 허투루 살아온 인생이 아니니까.

15. 올라가는 에스컬레이터를 걸어 올라가는 기분

상행 에스컬레이터를 걸어 올라갈 때는 힘이 난다. 조금만 발걸음을 떼도 위로 떠밀려 올라가는 느낌이다. 무언가 나를 뒤에서 받쳐주는 느낌이다.

인생에서 당신을 끌어주는 사람을 만날 때도 이런 기분이다. 마치 상행 에스컬레이터를 탄 것처럼 가뿐하다. 그 사람이 나를 가볍게 끌어준다. 모든 게 순조롭다.

하지만 가끔 에스컬레이터를 이용하지 못하는 곳도 있다. 저 높디높은 돌계단을 스스로 걸어 올라가야 한다. 하지만 포기하진 말자. 시간이 좀 더 걸릴 뿐 올라갈 수는 있지 않은가?

한 걸음 한 걸음 올라가면 된다. 가다 보면 또 가진다.

인생도 마찬가지다. 때론 나의 편이 없다고 느껴질 때가 있다. 나를 이끌어 주는 이 한 명 없다고 느껴질 때가 있다. 나 혼자일 때. 나 혼자라고 느껴질 때.

하지만 목표를 이루기 위한 노력을 멈추지는 말자. 힘은 들지만 포기하지 말자. 꾸준히 노력하자. 목표가 있지 않은가? 어쨌든 가고 있지 않은가?

그렇게 가다 보면 또 가진다. 그렇게 살다 보면 또 살아진다.

그러다 보면 또 인생의 에스컬레이터를 타는 순간이 온다.
포기는 하지 말자. 웬만하면. 절대로.

16. 성공을 생각하는 방법

오늘 하루만 성공하자.

내일은?

내일도 똑같은 생각을 하자.

17. 나의 재능을 찾은 순간

내가 나에게 감탄하는 순간이 있다.

'내가 어떻게 이 일을 해냈지?'
'내가 어떻게 이걸 이런 방식으로 처리했지?'

그 순간에 했던 그 방법, 당신의 판단, 행동, 상황들을 가만히 되새겨보자.

그리고 다시 해보자. 또 잘되는가? 또 잘 된다면, 괜찮게 하는 것 같다면 그것이 바로 당신이 가장 잘하는 분야일 수 있다.

그것이 당신 재능일 수 있다.

누구나 재능은 있다. 재능이 없는 사람은 없다.
단지 재능을 아직 못찾은 사람만 있을 뿐.

당신도 분명 어딘가에 재능이 있다.

18. 버스가 떠나려 할 때

버스가 막 떠나려 한다. 지하철의 전동 문이 닫힌다.

일단 당신은 뛴다. 당신도 모르게 몸이 움직인다. 떠나려는 버스와 지하철을 향해.

조금이라도 더 빨리 목적지를 향해 가고 싶어서. 결국, 시간을 아끼기 위한 "본능적" 몸부림이다.

그런데 가만히 생각해 보자.

당신은 평소에도 그렇게 시간에 신경을 쓰는가? 당신은 평소에도 그렇게 시간을 아끼려고 노력하는가?

오늘 당신의 하루를 되돌아보자. 오늘 하루 허투루 보낸 10분은 없는가? 오늘 하루 그냥 흘려보낸 30분은 없는가? 오늘 아침 평소보다 1시간 먼저 일어나려고 했던 결심은 성공했는가?

버스를 놓쳐 다음 버스가 올 때까지 기다리는 5분은 그렇게 아까워하고 억울해하면서,
오늘 하루 추가로 만들어 낼 수 있었던 1시간에 대해서는 왜 아까워하지 않는가?

19. 성공의 확률

내일부터 시작하면 실패할 확률이 높다.

오늘부터 시작하면 성공할 확률이 높다.

지금 당장 시작하면?

100% 성공한다.

정말이다.

20. 속도를 못 내는 계단

계단을 오르내릴 땐 당신의 걸음이 얼마나 빠른지 알 수 없다. 빨리 걸어 올라가 봐야 총총걸음. 빨리 내려가 봐도 총총걸음. 무릎에 무리만 간다. 이렇듯 계단에서는 속도에 큰 차이가 나지 않는다.

하지만 평지에 들어서면 다르다.

평지에서는 당신의 원래 걸음이 나올 수 있다. 그야말로 제 속도를 낼 수 있다. 빠른 사람은 빠른 걸음으로, 느린 사람은 느린 걸음으로.

당신이 하는 일에, 생각만큼 속도가 나오고 있지 않은 것 같은가? 당신의 평소 실력 발휘가 잘 안 되고 있는 것 같은가? 너무 걱정하지 마시라. 당신의 실력이 문제가 아니라 당신이 있는 상황이 문제일 수 있다. 지금이 그냥 그런 상황인 것이다.

당신은 지금 인생의 계단 위에서 제 속도를 못 내고 있는 것일 수 있다.

이제 저 계단만 오르면 당신의 속도로 갈 수 있다. 당신의 실력을 마음껏 보여줄 수 있다.
자신의 실력을 탓하지 말고 조금만 힘내자.

21. 아끼는 물건

애지중지하는 물건이 있는가?
보고만 있어도 흐뭇한 애장품(愛藏品)이 있는가?
항상 눈앞에 두고 가까이 보고 싶은 것이 있는가?

그런데 아무리 아끼는 물건이라도 눈앞에 바짝 붙이면 볼 수가 없
다. 어느 정도 눈에서 거리를 둬야 보인다.
사랑하는 사람도 마찬가지다.
사랑하는 사람이 있는가? 항상 가까이 두고 싶은 사람이 있는가?

그럴수록 일정한 거리를 두어야 한다. 거리를 두고 바라보자. 그래야
더 잘 볼 수 있다. 그래야 더 꼭 안아주고 싶다.

적당한 거리는 당신과 그를 더욱 가깝게 만든다.

22. 아주 작은 치명적 고통

사람은 누구나 작은 고통, 작은 불편감에 약하다.

이빨이 아플 때,
며칠째 대변을 못볼 때,
입안이 헐었을 때,
종이에 손을 베었을때,
가슴이 답답해 숨을 제대로 못 쉴때

'아 이것만 좀 나아지면 정말 좋겠다. "는 생각이 든다.

그럴 때는 돈, 명예, 유명세 등 다 필요 없다. ' 단지 이빨만 좀 아프지 않았으면 좋겠다.', ' 단지 숨 한번 시원하게 제대로 쉬어 봤으면 좋겠다. '뿐이다.

그러다 막상 그 불편감이 없어지면 금세 또 까먹는다. 그게 사람이다. 그러니까 사람이지.

그러니 이것만은 명심하자.

아프지 않고 불편한 것 없는 지금 상태가 정말 큰 행복인 것을.
이 세상에는 지금, 이 순간 있는 당신을 너무나 부러워하는 수많은 누군가가 존재한다는 사실을.

그러므로 다른 사람과 비교해 가며 자신을 괴롭히는 일은 멈췄으면 좋겠다.

23. 먼지

털어서 먼지가 안 나는 사람이 어디 있는가?

그것이 실제 먼지인지 아닌지가 중요할 때도 있지만,
털어서 나온 것을 먼지로 바라보느냐 마느냐가 더 중요할 때도 있
다.

이렇게 실제(實際)보다 인식(認識)이 때론 중요하다.

24. 첫사랑

혹시 첫사랑을 못 잊고 있는가? 아직도 첫사랑과의 재회를 꿈꾸는가? 다시 한번 잘 생각해보길 바란다.

당신이 못 있는 것은 그 사람이 아닐 수 있다.

당신이 찾는 건 첫사랑과 함께했던 순간들이었음을.

가슴 설레는 느낌, 가슴 아픈 추억, 가슴 뛰는 향기. 가슴 저미는 안타까움.

이것들을 그리워하고 있는 것일 수 있음을.

당신이 그리워하고 있는 것은 "그대(she or he)"인가, "그때(moment)"인가?

25. 설렘

세 번째, 네 번째 가보는 여행지인가? 그래도 설레해 보자. 처음 가는 것처럼 설레해 보자.

몇 번 만나본 사람도 처음 만나는 것처럼 반가워해 보자.

사랑하는 사람이 생겼다면 첫사랑처럼 사랑해보자.

그렇게, 이왕하는 거 열정을 다해 보자.

26. 체험과 경험의 차이

체험(體驗)과 경험(經驗)의 차이는 무엇일까?

체험은 일시적인 것, 내 것이 아닌 것. 한번 해보는 것.
경험은 지속적인 것, 내 것인 것, 신중하게 해보는 것.

사랑을 경험할 수는 있어도 체험해 볼 수는 없다.
죽음을 체험해 볼 수는 있어도(관 같은 데 들어가서), 경험해 볼 수는 없다.

당신은 당신의 인생을 체험하고 있는가? 경험하고 있는가?

27. 나와 떠나는 여행

나를 만나는 여행. 나를 만나기 위해 떠나는 여행. 나와 함께 떠나는 여행. 내가 나와 떠나는 첫 여행. 그만큼 설레는 첫 여행.

나와 싸우지 않기.
나와 손잡고 다니기.
나를 잃어버리지 않기.

28. 신발 끈

가끔 모든 것이 귀찮아지는 순간이 있다.

가끔은 풀린 내 신발 끈조차 누가 대신 좀 묶어줬으면 좋겠다.

이 지경까지 되었다면 잠시 좀 쉬었다 가자.

제발 좀.

29. 적당한 불편

어느 정도의 불편함은 예의를 갖게 한다.

지금 이곳은 비행기 안이다. 내 초등학교 1학년 아들. 아빠한테는 그렇게 버르장머리 없게 굴지만, 옆자리에 앉은 처음 보는 형아 누나에겐 말끝마다 "요"자를 붙이며 예의를 차린다.

'헐'

그러고 보면 약간의 불편함도 사람 사이에 필요한 것 같다.

적당한 불편함.
적당한 거리감.
적당한 어색함.

완벽한 것이 완전한 것이 아니라, 적당한 것이 완전한 것.

30. 때치

아이들과 장난을 치다가 아이가 벽에 부딪혔다.

울음을 그치지 않길래 벽에 "때치"를 해줬다.

그때야 좀 진정이 되나 보다.
왜 아이들은 벽에 "때치"를 해줘야 분이 풀릴까.

아이들은 마음의 상처가 더 큰가 보다

31. 제주도 담벼락 구멍

당신의 허점이 너무 눈에 잘 보이는 것 같나요? 당신의 구멍이 너무 크게 느껴지나요?

너무 완벽한 사람이 되려고 하지 마세요. 적당히 허점도 있어야 합니다.

제주도 돌 담벼락처럼 말이죠. 엉기성기 구멍을 내놓아야 바닷바람이 쏭쏭 빠져나갈 수 있습니다. 제주도 돌 담벼락이 제주도 바닷바람에 오랜 시간 무너지지 않는 비결입니다. 구멍이 있기에 매서운 바람을 받아들일 수 있지요.

당신의 허점이 있기에 사람들은 당신에게 인간미를 느낍니다. 당신의 구멍으로 타인의 의견과 생각을 겸허히 받아들일 수 있습니다. 그것이 당신이 오랜 시간 동안 좋은 인간관계를 유지할 수 있는 비결이 될 수 있습니다.

적어도 사람 사이에서는 완벽한 것이 완벽한 것이 아닙니다. 적당한 허점이 완벽한 것입니다.

32. 여행 속 여행

온 가족이 제주도로 여행을 떠났습니다. 아내, 아이들, 부모님, 저까지 모두 6명입니다. 내일은 2개 그룹으로 찢어져서 각기 다른 목적지를 방문하기로 합니다.

저와 아들은 우도에 한 번 더 가기로 합니다. 아들이 우도 전기 전동차를 너무 좋아해서요. 사랑하는 아들과 단둘만의 여행이라니요. 여행을 떠나기 전 집에서 느꼈던 설렘이 다시 한번 느껴집니다. 여행을 와 여행에 대한 설렘을 다시 느낍니다.

여행 속 여행이 주는 색다른 즐거움입니다.

33. 처음의 쓰레기

깨끗한 곳에 떨어져 있는 휴지를 보면 나도 모르게 휴지를 줍고 싶어집니다. 왠지 어울리지 않아 보이기 때문입니다.

쓰레기가 쌓여 있는 곳들을 보면 내가 가지고 있던 쓰레기도 덩달아 하나 버려지고 싶어집니다. 이미 많은 쓰레기가 모여 있기 때문이죠.

쓰레기가 더 큰 쓰레기를 불러오지 않도록 처음의 쓰레기를 치워야 하는 이유입니다.

물건도, 사람도.

34. 깨진 창문의 법칙

"깨진 창문의 법칙"이라고 들어 보셨나요?

깨진 창문에 돌을 던지는 것의 죄책감과 이미 깨진 창문에 돌을 던지는 것의 죄책감. 당신은 이 두 가지 중 어떤 것에 죄책감을 덜 느낄까요? 아마도 후자의 경우일 것입니다. 이미 깨진 창문이기 때문이지요.

사람은 이미 깨져있는 창문에 돌을 던지는 것에 대해서는 그리 큰 죄책감을 느끼지 않습니다.

혹시 당신의 마음 역시 이미 깨져있는 창문은 아닌가요? 이미 많은 나쁜 말들과 상처로 인해 당신의 마음이 깨져있는 건 아닌가요?

그렇다면 어서 빨리 깨진 마음을 고쳐주기 바랍니다. 예쁘고 아름다운 말들로 당신을 위로해 주세요. 그래야 당신도 남도 더는 당신의 마음에 돌을 던질 수 없습니다.

꽃이 놓이고 새들이 쉬어가고 아름다운 사람들의 발길이 머무는 그런 곳이 당신의 마음 창이 되길 바랍니다.

35. 이기적 사랑

너를 위한다는 것. 어쩌면 나를 위한 것.

네가 아프면 내가 아프고, 네가 없으면 내가 외롭기 때문에.

네가 힘들지 않으면 좋겠다. 너가 힘들어하는 모습을 내가 봐야 하니까.

네가 오래오래 살면 좋겠다. 네가 없는 세상은 내가 죽을 만큼 힘들기 때문에.

너를 위한다는 것. 결국은 나를 위한 것.
너를 위한 마음도 결국은 이기적인 마음.

너를 사랑하는 것은 내가 이기적이기 때문이다.

36. 딜레마(dilemma)

무더운 한여름. 당신은 지금 야외에 있다.

두 가지 선택이 있다.

바람 한 점 안부는 그늘,
바람 부는 뙤약볕 한가운데.

당신의 선택은?

37. 인생의 속도 방지턱

가상 속도 방지턱은 실제 굴곡은 없다. 그러나 속도를 줄여주는 효과가 있다.

인생도 마찬가지라는 생각이 든다. 위험해 보이는 일이 있다. 잠시 멈추고 생각한다. 돌아보니 위험한 일은 아니었다. 하지만 잠시 멈추고 생각했기에 좀 더 신중할 수 있었다. 못 보고 있던 것을 볼 수 있었다.

인생의 주행에서 속도 방지턱이 보일 때는 잠시 멈추자. 위험해 보이는 순간은 잠시 멈추자.

그리고 잠시 주위를 둘러보자. 방지턱이 있는 곳은 다 그럴만한 이유가 있어서 있는 것, 속도를 줄이지 않으면 인생의 사고가 날 수도 있다.

38. 작은 것의 무서움

사소한 것, 작은 것이 무섭다. 조심해야 한다.

미세먼지,

초(超)미세먼지.

손에 박힌 가시.

39. 칭찬과 질책

이왕이면 칭찬은 공개적으로. 다른 사람들 앞에서. 단톡방에서

이왕이면 질책은 비공개적으로. 다른 사람이 없는 데서. 개인톡으로.

안 그러면 칭찬과 질책은 역(逆)효과를 냅니다.

40. 당신이 사랑하는 것

프랑스 대문호, 스탕달(Stendhal)은 다음과 같이 말했다.

"낭만적 사랑이 극히 이기적인 활동이며, 사랑에 빠진 사람이 사랑하는 것은 상대방이 아니라 도취상태 그 자체다." .

당신이 사랑하는 대상은 그 사람입니까? 아니면 '사랑' 그 자체입니까?

아니면, 둘 다 입니까?

41. 친구와 적

내 적(敵)의 적은 나의 친구.

내 친구의 적은 나의 적.

그렇다면, 공공의 적은?
 우리를 단합하게 해.

42. 새로운 세계와의 접속

루브르 박물관. 세계 3대 박물관 중 하나라고 한다. 나머지 2개 박물관이 자연스레 궁금해진다.

카림 하자드. 세계 3대 디자이너 중 한 명이라고 한다. 자연스레 나머지 2명 디자이너가 궁금해진다.

하나의 세계를 접하면 세계 안에 있는 또 다른 곳이 궁금해진다.
그렇게 당신은 당신의 호기심을 확장해 나간다.

새로운 것에 호기심이 생겼는가?

우선은 하나를 선택하고 그곳에 집중하라. 그러다 보면 그 세계 안에 있는 다른 대상에도 호기심이 생길 것이다.

그렇게 새로운 세계는 통째로 당신의 삶 일부가 된다.
그렇게 당신은 새로운 세상과 접속한다.

43. 장애물

귀머거리 작곡가, 베토벤.

성공의 문턱에서 청력을 잃었다. 자신이 만든 교향곡 지휘를 마치고
들여오는 박수갈채를 못 들었다고 한다.

하지만 죽는 날까지 작곡을 했다고 한다.

장님 화가, 드가 (Edgar Degas).

망막 장애로 서서히 시력을 잃어갔다. 50대 후반에 시력을 완전히
잃고, 흐릿한 빛의 감각을 파스텔화로 남겼다.

아 정말 인간에게 있어 장애물이란.

44. 편의점 안 대기 줄

편의점 안 대기 줄이 길다. 결제를 완료했다. 근데 깜박하고 카드 할인 혜택을 받지 못했다. 재결제를 요청하여 혜택을 받고 싶지만, 뒤에 대기 줄이 너무 길어 눈치가 보인다.

그냥 포기한다.

생전 처음 보는 사람들을 기다리게 만드는 것에는 눈치를 보면서 왜 당신의 남편, 아내, 친구를 기다리게 하는 것은 신경을 쓰지 않는가?

소중한 사람의 시간일수록 소중하게 대해주어야 하지 않겠는가?

45. 도로 위 감정

부러움이란?
꽉 막힌 고속도로에서 씽씽 지나가는 버스 전용차선의 카니발을 보는 것.

우쭐함이란?
꽉 막힌 도로 위에 있는 옆 차선 차들을 보며 버스
전용차선 위를 질주하는 것.

배신감이란?
버스 전용차선을 달린 지 십 분도 안되 일반차선의
정체가 풀리는 것.

46. 천직

시간 가는 줄 모르는 일, 배고픔도 잊게 만드는 일, 정말 신나는 일, 누가 시키지 않아도 이미 하고 있는 일, 남들이 그만 좀 하라고 하는 일.

그런 일을 하고 있는가?

그게 바로 당신이 하고 싶은 일이다.
그것이 바로 당신이 해야 하는 일이다.

그것이 바로 천직(天職)이다.

하늘이 내린 일. 천직이란 그런 것이다.

47. 허물

다른 사람의 허물을 말하기 전에 잠시 멈추어 보세요.

혹시 당신의 허물은 아닌가요?
당신도 똑같은 허물을 하고 있기에 그 사람의 허물이 더 잘 보이는
것은 아닌가요?

48. 자주 행복을 느끼는 삶

당신이 좋아하는 일을 하고 당신이 사랑하는 사람과 시간을 보내는 삶.

큰 행복을 가끔 느끼는 것보다 작은 행복을 자주 느끼는 삶.

하루를 마무리하며 ′오늘도 참 잘 살았다′라고 느껴지는 삶.

그것이 성공한 삶 아닐까?

49. 변함

세상 모든 것은 변한다.

변하지 않는 건 "세상 모든 것은 변한다."는 믿음 뿐이다.

50. 그 일

가슴 뛰는 일을 지금 하고 있는가?

아침, 당신의 눈을 번쩍 뜨이게 만드는 그 일을 지금 하고 있는가?

배고픔도 있게 하고 그 일에 집중하게 만드는 그 일을 지금 하고
있는가?

51. 변화를 이끄는 삶

세상 모든 것은 변할 수밖에 없다.

사람도, 자연도, 환경도, 조직도, 시스템도, 문화도 시간은 모든 것을 바꿔놓는다. 단지 얼마나 빨리, 얼마나 늦게 바뀌냐의 문제이다. 변하지 않을 거라 믿었던 것들도 결국은 변해 있다.

'설마 변하겠어?' 라고 믿었던 것들도 어느샌가 변해 있다.
어느새 그 변화를 어느 순간 당연한 것으로 받아들이고 있다.

모든 것을 무조건 변화시킬 필요는 없다.
하지만 "이것도 변할 수 있다"고 인정하는 자세가 중요하다.

당신은 지금 변화를 위한 몇 번째 줄에 서 있는가? 좀 더 앞에 서 볼 생각은 없는가?

변화를 당하는 삶보다 변화를 이끄는 삶을 살아볼 생각은 없는가?

52. 선물

선물 받는 사람은 현금을 선호한다. 마음대로 쓸 수 있는 폭이 넓기 때문이다.

하지만 주는 사람은 물건을 선호한다. 왜냐하면, 시각적으로 남기 때문이다.

마음대로 쓰려는 자와 시각적으로 남기려는 자.

그럼 이렇게 하면 어떨까?
돈을 투명 박스에 넣어 전시용 선물을.

미안하다.

53. 북런치

아침과 점심 사이에 읽는 책, 북런치(Book lunch)

브런치를 먹으며 읽는 책, 북런치(Book lunch)

북런치에는 두 가지 의미가 있었네.

54. 꿈꾸는 삶

변기에다 시원하게 오줌을 누었다.

그런데 꿈이었다. 이불에 멋진 세계 지도가 그려 졌다.

꿈과 현실의 혼동이다. 현실 속에서 아들 녀석은 아침부터 엄마에게 시원하게(?) 혼이 난다. 꿈과 현실을 혼동한 대가다.

하지만 꿈과 현실을 혼동하는 것과 꿈을 현실에서 꾸는 것은 다르다. 몸은 현실에 있지만 꿈은 현실 너머에 있어야 한다.

꿈이 없는 현실은 그저 팍팍한 삶에 불과하기 때문이다.
꿈꾸는 만큼 성공한다.
꿈꾸는 만큼 현실은 변화한다.
꿈꾸는 대로 살자. 그렇지 않으면 사는 대로 꿈꾸게 된다.

사랑하는 아들이여. 기죽지 마라.
현실에서 크게 꿈꾸고 크게 살아가라.

55. 두려움에 대한 질문

당신이 두려워하는 것에 그럴만한 이유가 있다고 생각하는가?

이유 없는 두려움은 없다고 생각하는가? 그렇다면 그 두려움이 무엇이라고 생각하는가?

수많은 사람이 오가는 길거리 한복판에 서 있어 본 적 있는가? 그때 두려웠던가? 그리고 잠시 눈을 감아본 적 있는가? 어땠는가? 두렵지 않았는가? 누군가 와서 부딪힐 것만 같은 생각이 들지 않았는가? 하지만 정말 부딪혔던가? 보이지 않기 때문에 두려웠던 것은 아닌가?

두려움을 상상해서 두려워지는 것은 아닐까?
당신이 두려워하는 것은 정말 두려워할 만한 이유가 있기 때문일까? 아니면 보이지 않는, 아직 다가오지 않은 두려움 그 자체가 아닐까?

아직도 당신이 두려워하는 것에 그럴만한 이유가 있다고 생각하는가?

어쩌면 당신이 두려워하는 그것은 실체가 없는 것이다.
그저 두려움 자체를 두려워하는 것인지 모른다.

그러니 용기를 내보자. 막상 해보면 별 것 아닐 수 있다.

56. 속상함

힘들다고 털어놨는데 몰라주면 더 힘들다.
누군가 당신에게 힘들다고 이야기하면 그 힘듦을 꼭 알아주자.

그 사람을 꼭 안아주자.

그거면 된다.

57. 네가 그렇게 말해주니

네가 고맙다고 말해주니 내가 고마워.

네가 미안하다고 말해주니 내가 미안해.

네가 괜찮다고 말해주니 나도 괜찮아.

58. 버려질 것 같은 시간

갑자기 비가 쏟아진다. 우산도 없는데.

집에 갈 길이 멀다. 편의점으로 들어간다.
눈물을 머금고 가장 저렴한 우산 한 개를 산다.

정말 사기 싫은데 산다. 어쩔 수 없이 산다. 돈이 너무 아깝다.
단 몇천 원이라도 아깝다. 이미 집 우산 통에 우산이 한가득하다.

필요 없는 물건은 단돈 몇천 원도 너무 아깝다.
단돈 몇천 원도 이렇게 아까운데 우리는 시간을 왜 아까워하지 않을까?

의미 없는 시간이란 것을 알며 어쩔 수 없이 쏟아붓는 시간이 있다.
회의를 위한 회의에 쓰는 시간. 만나기 싫은데 예의상 만나 줘야 하는 시간. 배울 것 없는 걸 알지만 의무적으로 들어야 교육 시간.

그런 식으로 날려버린 시간이 한가득하다.

이런 시간 역시 나의 시간이다.
이런 시간 역시 나의 것이다.
돈으로 살 수 없는 내 시간이다.

버려질 것 같은 시간은 최대한 피해 보자.
버려질 것 같은 시간은 최대한 아껴 보자.

59. 다른 길

택시를 탔다. 하나의 안내문이 있었다.

"손님과 택시기사가 생각하시는 길이 다를 수 있으니 생각하시는 길이 있다면 말씀해 주십시오."

그렇다.

목적지는 같으나 생각하는 길은 다를 수 있다.
맞는 길, 틀린 길은 따로 없다.

단지 내가 가고 싶은 길, 내가 선호하는 길이 있을 뿐이다.
내 생각과 다른 길이라는 이유로 잘못된 길이라 할 수 없다.

다른 이가 걷는 길을 존중하자.

누군가 내가 가는 길에 대한 뭐라 해도 크게 신경 쓰지는 말자.
내가 걷는 길도 길이다.

60. 극과 극

딸과 아이스크림 가게를 다녀왔다. 아이스크림 케이크를 사 왔다.
포장을 뜯었다. "냉온화상 주의"라는 표시가 되어 있었다.

'냉온(冷溫)화상?'

사전을 찾아보았다. 너무 차가워서 입는 화상이라고 했다.

'너무 차가워서 화상을 입는다고?'

너무 차가워서 입는 화상.

역시 극과 극은 통하나 보다.

61. 굳은 살

굳은살은 떼도 아프지 않다. 별 감각이 없다. 그러다 시간이 지나면 다시 다른 굳은살로 채워진다.

굳은살의 역할은 무엇일까?

굳은살은 마찰이 강한 부위에 생긴다. 철봉을 하는 손, 골프 그립을 잡는 손, 구두를 신는 발 뒤꿈치 등 가장 격렬하고 가장 치열한 부위에 생긴다.

굳은살이 한번 박이면 통증이 느껴지지 않는다. 바늘로 찔러도 통증이 없다. 굳은살이 있기 때문이다. 굳은살이 없는 곳은 그만큼 치열한 마찰이 없기 때문이다.

내 삶의 굳은살은 어디에 있을까? 내가 삶에서 가장 격렬하고 치열하게 부딪히는 곳은 어디일까?

굳은살이 박이면 내성이 생긴다. 내성이 생기면 웬만한 실패와 좌절감에도 금세 일어설 수 있다. 훌훌 털고 선다.

당신이 간절히 원하는 분야가 있는가?
최고가 되고 싶은 분야가 있는가?
그곳에 굳은살이 있는가? 굳은살이 없다면 왜 없는 것 같은가?

조금 더 치열하게 부딪혀볼 생각은 없는가?

62. 동트기 직전

매일 아침 출근길, 정해진 시간에 타는 집 앞 마을버스를 간발의 차로 놓쳤다. 순간 나도 모르게 짜증이 났다. 일부러 이렇게 생각한다.

'아 오늘은 얼마나 좋은 일이 생기려고 이러는가'

지하철역에 내렸다. 교통카드를 찍고 전동차를 향해 힘차게 계단을 내려간다. 간발의 차로 이번엔 지하철이 떠난다. 순간 또 짜증이 솟구쳐 올랐다. 억지로 생각했다.

'허허 진짜 오늘 얼마나 좋은 일이 생기려고 이럴까?'

근거 없는 바람이지만 그렇게 생각하니 정말 마음이 나아졌다. 정말 좋은 일이 생길 것 같은 기분이 들었다. 정말 기대가 됐다. 심지어 설레기까지 했다. 오늘 하루 어떤 좋은 일이 생길까 기다려 봐야겠다.

'행운아. 너무 오래 기다리지 말게 해다오. 오늘 내로 행운, 너를 꼭 보고 싶다.'

다음 열차가 왔다. 앉을 자리가 없다. 우쒸. 매번 앉아가던 지하철이 었는데. 도대체 오늘 얼마나 좋은 일이 생기려고 그러실까. 하나의 문이 닫히면 다른 문이 열린다고 하지 않았는가? 동트기 직전이 가장 어둡다고 하지 않았는가? 정말 짜증 나는 일만 생긴다면, 조금만 더 기다려보자.

이번에는 정말 좋은 일이 생길 차례다.